不读诗，无以言

陪孩子读古诗词

日月星露

周剑之○编著
叶媛媛○绘

中国少年儿童新闻出版总社
中国少年儿童出版社
北 京

目 录

风

◎ 唐·李峤

解落三秋叶，
能开二月花。
过江千尺浪，
入竹万竿斜。

三秋，秋天的第三个月，指深秋。

这是一首优美的小诗，同时也是一个精致的谜语。

我们身边有这样一个神奇的角色，它能吹绽春天的百花，能吹落秋天的树叶，能让江河掀起千尺高的浪涛，也能让绿竹齐刷刷地朝一个方向倾斜。它看不见也摸不着，却是大自然中最令人惊叹的魔术师。

你猜，它是谁？

春雪

◎ 唐·韩愈

新年都未有芳华，
二月初惊见草芽。
白雪却嫌春色晚，
故穿庭树作飞花。

诗说

　　今年的春天似乎迟迟不肯到来。放眼望去，满目萧 (xiāo) 条，
依然是冬天的景象。直到农历二月，才长出一丝丝草芽。春天，怎么
还不来呢？就连白雪也着急啦。她怕人们欣赏不到美丽的春色，于是
急急忙忙地赶来，飞向天空，飞入庭院，飞上树梢，飞舞成春花朵朵，
飞洒成一幅别致动人的春景。

春 晓

◎ 唐·孟浩然

春眠不觉晓，

处处闻啼鸟。

夜来风雨声，

花落知多少。

诗说

　　春天的清晨，诗人在小鸟的啼叫中醒来。鸟鸣声此起彼伏，相互应和。那喧闹，是属于春天的勃勃生机。回想昨夜，似乎听到了风雨的声音。诗人忍不住深深惋惜：美丽的花朵，该不会都被风雨吹落了吧？

　　看似平淡的一句惋惜，却有着耐人寻味的魅（mèi）力。惜花的诗人，他所爱惜的不仅是花，同时也是整个春天，更是世上所有美好的事物。

春 日

◎ 宋·朱熹

胜日寻芳泗水滨，

无边光景一时新。

等闲识得东风面，

万紫千红总是春。

胜日，风光美好的日子。

泗 (sì) 水，河名，在山东省。

等闲，轻易，随便。

10

　　春天是我们熟悉的好朋友，每年都会来到我们身边。可是春天究竟是什么样子呢？

　　诗人来到野外踏青，眼前的一切都焕然一新。他恍然大悟，原来这就是春天！春天在碧绿的草地上，春天在娇艳的花朵中，春天在小鸟的歌声里。

　　作者朱熹（xī）是著名的理学家。他的诗歌常常既具有诗意，又富含哲理。这首诗告诉我们，春天的美，美在万物，美在欣欣向荣、生生不息。

绝句

◎ 宋·释志南

古木阴中系短篷，
杖藜扶我过桥东。
沾衣欲湿杏花雨，
吹面不寒杨柳风。

短篷（péng），小船。
杖藜（lí），拐杖。

诗说

　　春天总是让人欣喜。就算是风雨，也带着春天特有的柔情。雨，是杏花雨，催开了娇羞的杏花，雨滴中仿佛还带着杏花的红色。风，是杨柳风，吹绿了杨柳的枝条，像杨柳一般柔软又温柔。

　　你看，这位诗人也被春天唤起了好心情：他拄着拐杖，走过小桥，无比惬（qiè）意地走在春天的斜风细雨中。

晚登三山还望京邑（节选）

◎ 南北朝·谢朓

余霞散成绮，澄江静如练。
喧鸟覆春洲，杂英满芳甸。

京邑（yì），京城。
芳甸（diàn），芳草丰茂的原野。

14

  傍晚时分，诗人登上高山，眺望远处京城的景色。

  晚霞变幻出艳丽的色彩，像华美的绮（qǐ）罗铺满了天边。清澈平静的江水，就像一匹洁白的丝绢。你听，小鸟们欢快地鸣叫着，它们的歌声覆盖了春天的小洲。你看，各种颜色的花朵，点缀在绿草丛中，开遍了郊野。

  即将离开京城的诗人，看到这样的美景，怎能不欣喜，怎能不留恋？

使至塞上（节选）

◎ 唐·王 维

征蓬出汉塞，归雁入胡天。
大漠孤烟直，长河落日圆。

征蓬（péng），飘飞的蓬草，指远行的人。
胡，泛指古代北方游牧的民族。

诗人王维来到了边塞。那是中国西北的边疆，也是骑马打猎的游牧民族生活的地方。你看塞上的风景多么壮丽：一望无际的沙漠上，一缕狼烟笔直地升起，在大漠的映衬下显得特别醒目；一条长长的河流，贯穿了宽广的大漠，一直延伸到天边；黄昏的落日，苍茫、浑圆，散发出金黄的光芒，与大漠的黄沙交相辉映……

旅夜书怀（节选）

◎ 唐·杜甫

细草微风岸，危樯独夜舟。

星垂平野阔，月涌大江流。

危樯（qiáng），高高的船桅（wéi）。

诗说

　　夜色降临，旅途中的诗人，把船停靠在岸边。微风习习，吹动纤细的小草。高高的桅杆，孤独地耸立在夜色中。

　　远远望去，原野是那样开阔，星星仿佛就悬挂在天边。江水是那样浩荡，月亮仿佛随着波涛一同起伏涌动。

　　此刻，诗人的内心被天地间的美景占据。他站在船头，欣赏星与月的灿烂，感受原野与大江的壮阔。

晓 行

◎ 宋·葛长庚

雨余花点满红桥，

柳絮沾泥夜不消。

晓雾忽无还忽有，

春山如近复如遥。

　　雨后的早晨，充满清新的气息。小桥上满是落花点点，柳絮紧紧地贴着地面。最有意思的，是早晨的雾气。她像一个调皮的小精灵，一会儿躲得无影无踪，一会儿又突然出现在你的眼前。

　　当她出现时，会把山遮得严严实实，让你觉得离山很远、很远。而当她躲起来时，又会露出碧绿的春山，让你觉得离山很近、很近。

清明

 唐·杜牧

清明时节雨纷纷，
路上行人欲断魂。
借问酒家何处有？
牧童遥指杏花村。

诗说

清明时节，细雨纷纷，赶路的人充满悲伤。远离故乡，漫长的旅途让他疲惫 (pí bèi) 不已，绵绵不断的细雨更让他思绪纷乱。不如找间酒家歇歇脚，用酒来驱散内心的忧伤吧。

迎面来了一个牧童，悠然地骑在牛背上。于是他上前询问：哪里有酒家？牧童伸出手来，往远处一指："那边是杏花村，往那儿去就对啦。"

诗歌到此结束。你猜，赶路人找到酒家了吗？也许找到了，也许没有。

有些时候，没有答案的结尾反而更耐人寻味。

春夜喜雨

◎ 唐·杜甫

好雨知时节，当春乃发生。

随风潜入夜，润物细无声。

野径云俱黑，江船火独明。

晓看红湿处，花重锦官城。

花重（zhòng），花被雨沾湿，故变重。
锦官城，成都的别称。

诗说

　　一年四季都会下雨，可是四季的雨中，只有春雨最善解人意。她是那么温柔，那么轻盈。她乘着微风，在夜里悄无声息地到来，细心体贴地滋润着万物。野外的小路上浓云密布，只有远处江上渔船上的灯火在夜中闪烁。

　　诗人也喜欢这样的春雨。他在夜里感受着，欣赏着。他忍不住想象，等到明天早上，整个锦官城都将开满美丽的鲜花。那些经过春雨滋润的花朵，一定会更加红艳欲滴、可爱动人。

岭 云

◎ 宋·杨万里

好山幸自绿崭崭，

须把轻云护浅岚。

天女似怜山骨瘦，

为缝雾縠作春衫。

崭（zhǎn）崭，形容山峰高峻的样子。

岚（lán），山林中的雾气。

雾縠（hú），薄雾般的轻纱。

诗说

　　在古代的大诗人中，最善于用儿童般的眼光看待世界的，要数杨万里。他是一位与大自然亲密拥抱的诗人。在他眼里，一切事物都有生命，一切生命都有温情。

　　这首诗就是如此。高大挺拔的山峰，周围缭绕着洁白的云朵。杨万里却悄悄告诉我们：其实那不是云朵，是天上的神女担心大山太瘦，于是亲手缝制了一件轻盈的衣服，穿在大山身上。

夏至过东市

◎ 宋·洪咨夔

涨落平溪水见沙，
绿阴两岸市人家。
晚风来去吹香远，
籁籁冬青几树花。

籁（sù）籁，植物被风吹动发
出的声响。

28

　　潮水退去了，透过清澈的溪水，能清楚地看见水底的细沙。溪流两岸，树荫浓密，居住着许多人家。

　　当诗人欣赏着水平岸阔、街市繁华的景色时，一阵清风吹过，带来一缕淡淡的清香。这香气从哪儿来？寻着香气四处寻找，才发现是冬青花盛开，碧绿的树叶衬托着细小的白花，在晚风中簌簌摇摆。冬青花可是在夏季开放的花朵啊。

　　原来不知不觉间，春天已经远去，夏天来了。

夏意

◎ 宋·苏舜钦

别院深深夏席清，
石榴开遍透帘明。
树阴满地日当午，
梦觉流莺时一声。

流莺，叫声婉转的黄莺。

　　一个夏日的午后，诗人躺在清凉的席子上，享受着午睡醒来的时光。

　　院子里开满了红艳艳的石榴花。浓密的树荫铺洒下来，既凉爽，又幽静。不时有黄莺飞过，发出一声动人的啼鸣。

　　夏天的炎热，往往会让人焦躁不安。但在这首诗里，我们却感觉不到一丝一毫的炎热。从视觉到听觉再到触觉，全都是满满的清凉和无限的惬意。

32

三衢道中

◎ 宋·曾几

梅子黄时日日晴，

小溪泛尽却山行。

绿阴不减来时路，

添得黄鹂四五声。

三衢（qú），即衢州，在今天的浙江省内。

却，再。

诗说

　　走在前往三衢的路上，诗人尽情欣赏着旅途中的风景。

　　农历五月，正是梅子成熟的季节，每天都是晴朗的好天气，就连心情也跟着晴朗起来。

　　乘着小舟，一直行驶到小溪的尽头，再沿着山路继续前行。浓密的树荫，就跟来的时候一模一样，只是多了几声黄鹂的叫声。

　　那清脆婉转的啼鸣，穿透茂密的树林，叫唤出大山的幽静。

33

渔家傲（上片）

◎ 宋·欧阳修

五月榴花妖艳烘。

绿杨带雨垂垂重。

五色新丝缠角粽。

金盘送。

生绡画扇盘双凤。

渔家傲，词牌名。
生绡（xiāo），未漂煮过的丝织品，古代常用来作画。

词说

    这是一首描写端午节的词作。

    这时节最亮眼的景物，是榴花和杨柳。鲜红的榴花开得耀眼，仿佛烧起来的一把火。碧绿的杨柳还带着雨水，饱满的枝条重重地垂下来。一红一绿，美不胜收。天气也渐渐热了。描画着凤凰（huáng）的扇子，扇动出一缕清凉的风。

    不过，端午节的主角还得是粽（zòng）子。晶莹的糯（nuò）米被包在粽叶里，裹出分明的棱（léng）角，再用青、白、红、黑、黄五色组成的丝线缠绕起来，放入华丽的盘子，直让人流口水呀。

    这是端午的风景，也是端午的味道。

六月二十七日望湖楼醉书

◎ 宋·苏 轼

黑云翻墨未遮山，
白雨跳珠乱入船。
卷地风来忽吹散，
望湖楼下水如天。

36

诗说

　　夏天的雷阵雨来得特别匆忙。黑压压的云，像是打翻的墨水，哗啦一下全泼在天空中。白色的雨点突然倾泻下来，噼里啪啦，像是玻璃珠子散了一地。正当被暴雨压得喘不过气来的时候，忽然吹来一阵大风，把乌云全部吹散，把雨点全都吹走，只剩晴朗的天空倒映在清澈（chè）的湖水中，宁静清爽，美不胜收！

临江仙（上片）

◎ 宋·欧阳修

柳外轻雷池上雨，

雨声滴碎荷声。

小楼西角断虹明。

阑干倚处，待得月华生。

临江仙，词牌名。

词说

　　从柳树外传来一阵隐隐的雷声，那是夏日傍晚的雷阵雨。雨点落下，打在池塘中的荷叶上，滴滴点点，如同细密的音符，演奏出一首动人的乐歌。

　　不一会儿，雨过天晴，一弯彩虹出现在小楼西角。天空像被洗过一样清爽，将彩虹衬托得无比明净。

　　一位优雅的女子，斜靠着阑（lán）干，望向天边的彩虹。她欣赏着，等待着，直到新月升起，洒下宁静柔和的月光。

露

◎ 宋·成彦雄

银河昨夜降醍醐，

洒遍坤维万象苏。

疑是鲛人曾泣处，

满池荷叶捧真珠。

诗说

　　古人从牛奶中提炼出酥酪 (sū lào)，又从酥酪中提炼出醍醐 (tí hú)。醍醐是牛奶的精华，跟我们今天的奶油相似。坤维，指的是大地。鲛 (jiāo) 人是传说中居住在海里的人鱼，当她们哭泣时，流出的眼泪会变成珍珠。

　　这是一位极有想象力的诗人。在他眼里，昨夜下的不是雨，而是银河落下的酥油，每一滴都是那么细腻润滑，滋润了大地万物。而荷叶上晶莹剔透的，也不是露水，是鲛人昨夜在这里哭泣，流下的满池珍珠。

登乐游原

◎ 唐·李商隐

向晚意不适，驱车登古原。
夕阳无限好，只是近黄昏。

向晚，傍晚。
不适，不悦，不快。

乐游原，是唐代长安城的著名景点。那是一个登高远眺、欣赏风景的好地方。在一个红霞满天的傍晚，诗人李商隐乘着车，登上了乐游原。

放眼望去，红彤彤的夕阳悬在地平线上，耀眼的光芒穿透云层，映红了半边天空，给大地也镀上一层绯红的色彩。多么动人的夕阳啊！然而它的存在却那么短暂——它出现的时刻，也是它即将消失的时刻。那么我们要为此难过吗？不，正是因为短暂，夕阳之美才会如此可贵，如此迷人！

立秋日

◎ 宋·刘翰

乳鸦啼散玉屏空，

一枕新凉一扇风。

睡起秋声无觅处，

满阶梧叶月明中。

诗说

　　一阵秋风吹过，乌鸦的啼声突然散去。室内的屏风显得有些落寞，枕头也变得凉爽起来。睡眠中的诗人，似乎听见了秋风吹叶的声音。起来一看，风早已停止，只剩下满阶的梧桐叶，沐浴在清冷明亮的月光中。

　　真的是立秋了，一切都散发着浓浓的秋意！

　　季节的变化，总是这样牵动人心。古代的诗人，最擅长感受四季的变迁。而他们的妙笔，也总是能将刹那的风景，定格成鲜活的永恒。

秋夕

◎ 唐·杜牧

银烛秋光冷画屏，

轻罗小扇扑流萤。

天阶夜色凉如水，

坐看牵牛织女星。

天阶，宫殿的台阶。

46

　　初秋的夜晚，萤火虫在夜空中不停闪烁。一位宫女穿着轻薄的罗衫，握着小巧的扇子，正扑打飞舞的流萤，一脸天真快乐的模样。

　　然而，在她快乐的外表之下，藏着一颗寂寞的心。

　　当夜深人静的时候，她会忍不住抬头看天上的牵牛星和织女星，一边看一边浮想联翩（piān）。传说，牛郎和织女会在七夕这一天相会。此刻，他们是不是见面了呢？而处在深宫中的自己，还有没有机会见到属于自己的牛郎呢？

乞巧

◎ 唐·林杰

七夕今宵看碧霄，

牵牛织女渡河桥。

家家乞巧望秋月，

穿尽红丝几万条。

碧霄（xiāo），青天。

诗说

七夕，是牛郎织女团聚的日子。传说，天上的织女爱上了牛郎，天帝却狠心把他们拆散，让他们分隔在银河两边，每年只能在七夕见面。七夕，又是乞巧的节日。年轻的女孩们会对着月亮穿针引线，祈祷（qí dǎo）自己拥有灵巧的双手。

今晚，天上一定又搭起了鹊桥，牛郎和织女正在桥上相会；今晚，人间的女孩们纷纷乞巧，也不知穿了多少条红丝。祥和与美好，充满了天上与人间。

十五夜望月

◎ 唐·王建

中庭地白树栖鸦，
冷露无声湿桂花。
今夜月明人尽望，
不知秋思落谁家？

诗说

　　八月十五的月亮爬上中天。庭院的地面，在月光的映照下反射出白色的光芒。乌鸦栖息在树梢，清冷的露水悄无声息地润湿了一树的桂花。

　　今夜，人们不约而同地望向皎洁的圆月。然而月亮之下，有全家团圆，也有骨肉分散。那些不能与亲人团聚的人们，只能对着月亮思念彼此。他们的思念，汇聚成无边无际的茫茫秋思，和着银月的清辉，洒向大地，洒落人间。

月夜忆舍弟（节选）

◎ 唐·杜甫

戍鼓断人行，秋边一雁声。
露从今夜白，月是故乡明。

戍（shù）鼓，边防驻军的鼓声。

　　那是在安史之乱中，战争爆发，局势混乱。诗人与弟弟分散了，无法相见。在这个悲伤的月夜，边防的鼓声，阻断了人们的出行。孤独的大雁，发出伤心的啼鸣。就在今夜，白露悄然降临。清冷的露水，让诗人感到凄凉。就连月亮看上去也显得朦胧（méng lóng），不如故乡明亮。

　　月亮只有一个，故乡的月亮跟别处怎么会有不同？那是因为思念——对弟弟的思念，对故乡的思念。最明亮的，是诗人思念中的月光。

静夜思

◎ 唐·李白

床前明月光，

疑是地上霜。

举头望明月，

低头思故乡。

诗说

　　夜深人静的时刻，漂泊在外的游子，迟迟没有入睡。床前的月光无比皎洁，看上去就像莹白的秋霜。他抬起头来，望向天空。那一轮明月如此美好，让人忍不住浮想联翩（piān）：照着我的这轮明月，是否也照着我的故乡，照着远在故乡的亲人？故乡的亲人，是否也在想着我，就像我想着他们一样？想着，想着，他的头渐渐地低下来，低下来，低成深深的思念，低成长长的叹息。

霜

◎ 宋·欧阳修

一夜新霜着瓦轻，

芭蕉心折败荷倾。

奈寒惟有东篱菊，

金蕊繁开晓更清。

诗说

　　秋天的清晨，瓦片上覆盖着一层薄薄的银霜。那是天气变冷的标志。几乎所有的植物都枯萎（wěi）了。芭蕉叶已经折断，荷叶也已经凋落，全都失去了蓬勃的生机。

　　然而，有一种植物却毫不怕冷。你看东边的篱笆（lí ba）下，一大丛菊花开得正艳。那金灿灿的花蕊（ruǐ），在经过秋霜的洗礼后，不但没有凋零，反而更加高洁秀丽，清雅动人。

天净沙·秋

◎ 元·白朴

孤村落日残霞，

轻烟老树寒鸦，

一点飞鸿影下。

青山绿水，

白草红叶黄花。

天净沙，词牌名。

词说

　　秋天是有些寂寥（liáo）冷清的。夕阳西下，映照着孤独的小村庄。村庄里升起袅（niǎo）袅炊烟，村口苍老的树枝上栖息着乌鸦。

　　秋天又是气象开阔的。远远望去，一只大雁正划过长空，翩然落下。

　　秋天更是绚丽多彩的。青翠的是山，碧绿的是水，白色的是即将枯萎的秋草，红色的是艳丽如火的枫叶，黄色的是不畏寒霜的菊花。

九月九日忆山东兄弟

◎ 唐·王维

独在异乡为异客，

每逢佳节倍思亲。

遥知兄弟登高处，

遍插茱萸少一人。

山东，华山以东。

茱萸（zhū yú），一种植物。

唐代风俗，重阳节要佩戴茱

萸，用来祛邪辟恶。

　　据说，写作这首诗时，诗人只有十七岁。

　　这位十七岁的少年，为了求取功名，不得不离家远行，漂泊在外。身处陌生的地方，身边都是陌生的人，一切都让他感到寂寞，感到孤独。当九月九日到来，他忍不住想象：我的兄弟们，此刻是不是已经登上了高处？他们是不是都已插上了茱萸？他们是不是也在思念着我？也许平日里还能忍住这份思念，可在重阳佳节，这个兄弟团聚的日子，王维对家乡的思念越涨越满，最后再也忍不住了，就像开闸的洪水，倾泻而出……

问刘十九

◎ 唐·白居易

绿蚁新醅酒，红泥小火炉。

晚来天欲雪，能饮一杯无？

醅（pēi），没过滤的酒。

无，不能。

　　新酿好的米酒，酒面还浮着未经过滤的酒糟，细小如蚁，色泽浅绿。红泥筑成的火炉里，跳动着红彤彤的小火苗。绿与红相互映衬，是极简朴又极美妙的配色。在即将下雪的寒冷傍晚，又有谁能抵挡新酒与火炉的召唤？当诗人用家常的口吻道出：不如同饮一杯吧？虽是轻言细语，却是冬夜里最动人的暖流，一直暖到人的心底去。

夜 雪

◎ 唐·白居易

已讶衾枕冷，复见窗户明。

夜深知雪重，时闻折竹声。

讶 (yà)，惊奇，奇怪。

衾 (qīn)，被子。

诗说

　　这是一个寒冷的冬夜。诗人的各种感觉，似乎都比平时更加敏锐。虽然躲在屋子里，他却清楚地知道——外面下雪了。

　　要问我是怎么知道的？

　　你摸，枕头和被子，都冰冷得有些不同寻常。你看，窗户透进一抹微弱的亮光，一定是洁白的雪地反射的光芒。你再听，窗外不时传来一阵响动，那是沉甸甸的积雪压折竹子时，发出的清脆声响。

别董大

◎ 唐·高适

千里黄云白日曛，

北风吹雁雪纷纷。

莫愁前路无知己，

天下谁人不识君。

曛（xūn），夕阳西沉时的
昏黄景色。

诗说

　　黄云白日，旷野苍茫，北风吹雁，大雪纷飞，那是诗人高适与好友董大话别的情景。眼前的景色如此悲凉，然而诗人送别的话语却没有一丝软弱和伤感：不必担心前路漫漫没有知己，凭你的才华与名声，谁会不认识你呢？

　　也许有一天，你也会踏上一段充满挑战的征程。亲爱的孩子，你不必害怕。带着这样的自信和豪爽，勇敢前行吧！

逢雪宿芙蓉山主人

◎ 唐·刘长卿

日暮苍山远，
天寒白屋贫。
柴门闻犬吠，
风雪夜归人。

白屋，不加修饰的房屋。
吠（fèi），狗叫。

诗说

　　傍晚时分，远山苍茫，天气非常寒冷。一位旅行者走在路上。他看见远处有一座小小的屋子。屋子没有任何的装饰，在寒冷的天气中更显朴素、清贫。旅行者就在这户人家投宿。

　　夜里，他听到屋外传来许多声音：狗的叫声，柴门打开，风雪飘飞，呼呼作响——那是主人乘着风雪回来了。

　　短短二十字，却描绘出一幅生动的风雪夜归图，这就是此诗绝妙之处。

元 日

◎ 宋·王安石

爆竹声中一岁除，

春风送暖入屠苏。

千门万户曈曈日，

总把新桃换旧符。

曈（tóng）曈，日出很明亮的样子。

诗说

　　过年啦，过年啦！春联贴起来，大红灯笼挂起来。听着热闹的鞭炮声，喝一杯暖暖的屠（tú）苏酒，揭下旧桃符，换上新桃符，家家户户欢乐团聚。

　　这是新的一年，更是新的开始。你看那新春的第一缕阳光，温柔地铺洒在大地上，多么明亮，多么耀眼，映照出蓬勃的生机，预兆着无限的希望。

青玉案·元夕（上片）

◎ 宋·辛弃疾

东风夜放花千树，更吹落，星如雨。

宝马雕车香满路。

凤箫声动，玉壶光转，一夜鱼龙舞。

青玉案，词牌名。

凤箫(xiāo)，用一排竹子做成，像凤凰的翅膀，也叫排箫。

玉壶，指月亮。

鱼龙，指鱼灯、龙灯。

词说

　　你知道古代的元宵节是什么样的吗？让我们乘着诗词的翅膀，穿越到宋朝去看一看——华美的花灯，挂满了街道，明亮、闪烁，仿佛一夜春风吹开了千万树的花朵，又仿佛春风吹落了漫天的繁星。

　　除了满城的花灯，还有满街的游人。大街上行驶着豪华的马车，四处洋溢着芬芳的香气。月光之下，凤箫吹奏起欢乐的乐曲，鱼形的灯、龙形的灯，整夜不停飞舞，直到天亮……

　　——那是多么繁华的景象，那是多么热闹的元宵！

如何陪孩子读古诗词

　　小时候，我最享受的事情之一，就是骑在爸爸的肩膀上，一边晃着脚丫，一边听爸爸念诗："床前明月光，疑是地上霜""白日依山尽，黄河入海流"……那些婉转的音节、抑扬的节奏，听上去是那么悦耳。我并不知道其中的含义，却忍不住跟着念、跟着读。或许正是这些幼儿时期跟爸爸一起读过的古诗词，指引我一步一步走上了古典文学研究的道路。

　　如今的我，作为一位母亲，更加真切地体会到跟孩子一起读古诗词的快乐。女儿几个月大时，每当我开始读诗，她就会睁大眼睛望着我，漆黑的眼珠里流动着闪亮的光彩；她在学走路的阶段，会常常跟着诗词的节奏摇头晃脑，摆动身体，玩得不亦乐乎；等她学说话时，我每读完一句诗，她会奶声奶气地重复最后一个字，一边露出得意的神色……古诗词陪伴她长大，而我也借由她的眼光，从许多烂熟于胸的诗词中，读出了新的感悟。

　　这样的亲身经历，让我无比深刻地意识到，与孩子一同读古诗词，对孩子的成长、对亲子关系的建立，具有多么特殊的意义。

你为孩子打开一本书，同时也是为他打开一个世界。而古典诗词的世界最是美妙，也最有助于构筑亲子阅读的独特空间。

诗词之美，美在韵律。因此，陪孩子读古诗词，首先要"读"。汉字有四声，分平仄，会在诗词中形成错落有致的组合。仄仄平平仄，平平仄仄平——孩子们很容易被这种天然的韵律所吸引。他们喜欢节奏感，喜欢声音的高低起伏。当你一字一句、平缓又有力地念出那些诗词，便是在演奏一首天然的乐章。你的情感，将化作声音的温度。孩子那敏锐的小耳朵，绝对不会放过。他会不自觉地跟上你的节奏，跟着你一起走进诗词。

诗词之美，美在画境。陪孩子读古诗词，要尽可能给孩子以画面感。"大漠孤烟直，长河落日圆"，无边大漠中的一缕孤烟，长河映衬下的浑圆落日，这是何等壮阔？"余霞散成绮，澄江静如练"，绮罗似的天边晚霞，白练似的澄净江水，这是何等宁静？好的诗词，总是能唤起生动鲜活的画面，给人带来心灵的触动。给孩子讲解诗词，意思的透彻是在其次，更重要的是画面感的营造。孩子们的大脑本来就拥有强大的画面生成能力，当他们脑海里浮现出清晰的画面，他们会更加直观地感受到诗词的魅力。

诗词之美，美在想象。陪孩子读古诗词，还要引导孩子去联想，给他挥洒想象的自由空间。含蓄凝练是古典诗词的重要特色，随之而来的，是无穷的余韵，让人浮想联翩。"借问酒家何处有，牧童遥指杏花村。"赶路的行人向牧童打听喝酒的地方，牧童的回应，诗歌只用"遥指"的动作来表现。至于行人与牧童的对话场景，都交给读者，任凭想象。不仅如此，这个场景还让人忍不住追问：为何行人要寻找酒家？是因为旅途的疲惫吗？是因为思乡的愁绪吗？又或者二者兼有？在牧童"遥指"之后，行人找到酒家了吗？他的愁绪是否得到了疏解？……孩子们擅长想象，每个孩子心里都住着一个浩瀚的宇宙。你给他一艘想象的帆船，他就能在思想的宇宙中遨游。

音乐之美，绘画之美，想象之美——这是古诗词为我们构筑的美妙世界。陪孩子读古诗词，就是希望他们走进这个世界、爱上这个世界。

在这本书中，我们选录了数十首关于自然和节令的古诗词。日月星辰，风雨霜露，春暖秋凉，夏暑冬寒，四季变换，节气迁转……都是与孩子的日常生活密切相关的内容。简洁的解说，精妙的插画，会帮助父母和孩子更加细腻真切地领略诗词之美。

陪孩子一起读古诗词吧！你会看到孩子眼睛里的惊喜，感受到他内心的雀跃。而你需要做的，就是牵着他的小手，漫步在这个五彩缤纷的世界里，与他一同惊喜，一同雀跃。

周剑之

作者

周剑之　北京大学古代文学博士，北京师范大学文学院副教授，硕士生导师，在古典文学的世界浸润多年。爱读诗词，爱读绘本，尤其享受每天陪娃读书的美好时光。

叶媛媛　中央美术学院影像艺术系毕业，主要从事实验影像和插画制作。2016年入选文化部国家艺术基金插画艺术人才培养项目。喜欢陪女儿看绘本、讲故事、角色扮演、剪纸和泥塑。

杨海波　又名播播哥，中央电视台著名配音员，长期为《新闻周刊》《新闻1+1》《道德与观察》等新闻节目配音，也为《Discovery探索》《传奇》《国家地理》等纪录片配音。

特别感谢北京大学中文系博士生导师张鸣教授对本书的认真审读。

图书在版编目（CIP）数据

陪孩子读古诗词 . 日月星露 / 周剑之编著；叶媛媛绘 .
— 北京：中国少年儿童出版社，2017.9（2021.4 重印）
ISBN 978-7-5148-4074-2

Ⅰ.①陪… Ⅱ.①周… ②叶… Ⅲ.①古典诗歌 – 诗集 –
中国 – 少儿读物 Ⅳ.① I222.72
中国版本图书馆 CIP 数据核字（2017）第 138005 号

日月星露 RI YUE XING LU
（陪孩子读古诗词）

出版发行：	中国少年儿童新闻出版总社 中国少年儿童出版社
出 版 人：	孙　柱
执行出版人：	马兴民

策　　划：	缪　惟　史　钰	**封面设计：**	蔡　璐
责任编辑：	史　钰	**责任校对：**	夏明媛
美术编辑：	徐经纬	**责任印务：**	厉　静

社　　址： 北京市朝阳区建国门外大街丙 12 号
邮政编码： 100022
总 编 室： 010-57526070
编 辑 部： 010-57526318
发 行 部： 010-57526568
官方网址： www.ccppg.cn
印刷： 北京利丰雅高长城印刷有限公司
开本： 787mm×1092mm　1/12　　　　　**印张：** 7
版次： 2017 年 9 月第 1 版
印次： 2021 年 4 月北京第 9 次印刷
印数： 90601-102600 册　　　　　**定价：** 62.80 元
ISBN 978-7-5148-4074-2